CYCLE AVANT LA QUÊTE

# LA QUÊTE DE L'OISEAU DU TEMPS

## 5. l'emprise

scénario : Le Tendre et Loisel
direction graphique : Loisel
dessin : Etien
couleur : Tatti

## DARGAUD

PARIS BARCELONE BRUXELLES HONG KONG LAUSANNE LONDRES MONTRÉAL NEW YORK SHANGHAI

## RÉSUMÉ

Épris de liberté et de découvertes, le jeune Bragon a quitté la ferme familiale il y a quelques années. Durant ses voyages, il n'a cessé d'affronter les membres de l'ordre du Signe, une secte meurtrière qui prône le retour de Ramor, le dieu maudit.

L'ordre du Signe a déjà éliminé plusieurs descendants des princes du pays des Sept Marches, tous opposés à la tyrannie des prédicateurs de haine.

Grâce à Bragon, Humoun, l'un des princes, a hérité du Grimoire des dieux dont la traduction devrait empêcher l'avènement de Ramor. Sa fille, Mara, l'aide dans cette hermétique et interminable tâche. Malgré leur différence sociale, Bragon et Mara sont épris l'un de l'autre.

Les nombreux exploits de Bragon lui ont valu le rang de chevalier et c'est à ce titre qu'Humoun lui a confié la mission d'escorter Raya, la jeune princesse de la Marche pourpre, en route pour récupérer son trône. Bragon est accompagné par son élève, Bulrog.

Hélas, le voyage s'est transformé en tragédie suite à un piège mortel fomenté par le maître d'armes d'Humoun, l'honorable Frange. Celui-ci s'est révélé être à la solde de la secte. Raya est assassinée. Bragon ne doit la vie sauve qu'en se précipitant dans un torrent avec Bulrog. Frange lance ses sbires à la recherche des deux compagnons, mais ceux-ci ont été emportés par le courant et laissés pour morts.

Depuis ce jour, nul ne sait ce que Bragon et Bulrog sont devenus.

## REMERCIEMENTS

Je tiens à remercier avant tout l'équipe de l'Atelier Hexacéphale, à savoir Mehdi Boukhezzer, Fred Vignaux, Elvire de Cock, Merete Jepsen et Phicil, pour leur bonne humeur quotidienne et leurs blagues douteuses. Vincent Mallié pour ses nombreux conseils bien judicieux, Damien Bonis pour son aide sur la typo, Blaise Loisel pour m'avoir dégoté un des rares exemplaires du tirage de tête de l'ami Javin, mon frangin Cyril pour tous ses encouragements. Et enfin, Céline, pour sa présence au quotidien.
D.E.

À l'Atelier Hexacéphale.
À Fred Vignaux.
À Céline Olive, pour son aide précieuse.
À Thomas et à Ana.
B.T.

FRANGE.

OUI, PRINCE ?

MON AMI, MERCI. L'IMPORTANT, C'EST QUE VOUS AYEZ SURVÉCU À CETTE TUERIE.

VOUS N'AVEZ RIEN À VOUS REPROCHER.

VOUS LUI REMETTREZ CETTE ÉCHARPE.

PRINCE.

L'ÉCHARPE DE BRAGON.

CELLE QUE MA FILLE LUI AVAIT CONFIÉE AVANT SON DÉPART POUR LUI PROUVER SON AMOUR ET QU'IL DEVAIT LUI RAPPORTER...

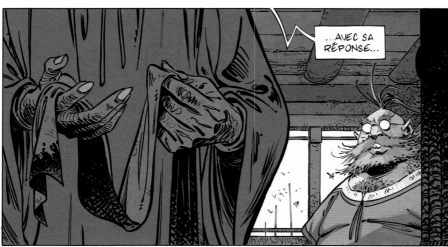

...AVEC SA RÉPONSE...

MARA.

UN INSTANT, PÈRE, J'AI PRESQUE FINI DE TRADUIRE CE VERSET.

?

B...BRAGON !?... C'EST SON... SANG ?

OUI, MA FILLE. JE SUIS DÉSOLÉ.

3

5

BIEN DES LUNES PLUS TARD, DANS LA VALLÉE DES BASSES COMBES...

QUI VEUT AFFRONTER LE LUTTEUR MASQUÉ ? ALLONS, ALLONS, TENTEZ VOTRE CHANCE, BRAVES GENS !

CELUI QUI RÉUSSIT À LE METTRE À TERRE ET À LUI ARRACHER SON MASQUE GAGNERA TOUS LES PARIS !

TOI LE COSTAUD, TAILLÉ COMME TU ES, TU AS TOUTES TES CHANCES !

MOI ?

VAS-Y ! SI TU GAGNES, TU REMPORTES LA MISE,

ET AVEC ÇA, MON BIBI, ON POURRA ENFIN S'ACHETER UNE BOUVRELLE.

ALLEZ, BISCOCK, ON EST AVEC TOI

BON, D'ACCORD...

4

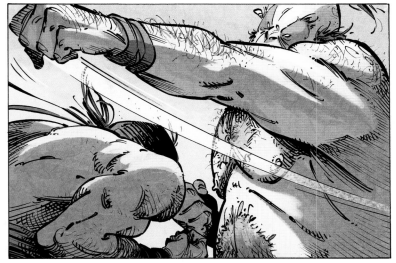

SPO!

HOULA, EN PLEIN DANS LE FOIE !

BIBI !?

HRNNN...

TU VEUX CONTINUER, BISCOCK ?

HMPF...

COMBAT TERMINÉ. LE LUTTEUR MASQUÉ EST VAINQUEUR !

PAS D'AUTRES VOLONTAIRES ? JE PRENDS LES PARIS.

5

BEN, DIS DONC, BISCOCK, IL T'A PAS LOUPÉ !

DIS, TILDA, POUR LA BOURRELLE, MOI, J'PEUX T'EN TROUVER UNE, HA HA !

IMBÉCILE !

EH, LUTTEUR MASQUÉ, C'EST QUI QUI T'A APPRIS À TE BATTRE COMME ÇA ?

TU PEUX PAS NOUS APPRENDRE ?

PARCE QUE LES FRÈRES BOIVIN, ILS NOUS EMBÊTENT TOUT LE TEMPS.

LAISSEZ TOMBER, IL A OUBLIÉ.

PAS VRAI, CHAMPION ?

OUI MAIS...

VOUS AVEZ ENTENDU ? J'AI OUBLIÉ.

ALLEZ, FICHEZ-MOI LE CAMP !

SI JE FAIS LE TOTAL DE CE QU'ON A GAGNÉ AUJOURD'HUI AVEC CE QUI NOUS RESTE DE CES DERNIERS JOURS, ON A À PEINE DE QUOI S'ACHETER UNE SELLE ET DES HARNAIS.

ON N'A PAS FINI ALORS.

6

ALLONS-Y. NE PERDONS PAS DE TEMPS SI ON VEUT ARRIVER AU PROCHAIN VILLAGE AVANT LA NUIT.

JE SERAIS PAS CONTRE UN VRAI REPAS POUR UNE FOIS.

BULROG, REDIS-MOI CE QUE J'AI OUBLIÉ.

OH, NON, PAS ENCORE !

JE TE L'AI RÉPÉTÉ CENT FOIS... TU AS APPRIS À COMBATTRE AVEC LE RIRE... TU ES AMOUREUX DE LA PRINCESSE MARA ET ON ÉTAIT EN MISSION QUAND ON EST TOMBÉS DANS UN PIÈGE TENDU PAR TON AMI FRANCE, CE TRAÎTRE À LA SOLDE DE L'ORDRE DU SIGNE...

ON A ÉTÉ BLESSÉS... ENFIN SURTOUT TOI, JE T'AI TRAÎNÉ À L'ABRI, LOIN DE NOS ENNEMIS... JE T'AI SOIGNÉ ET QUAND TU T'ES ENFIN RÉVEILLÉ, TU AVAIS PERDU LA MÉMOIRE.

ET CE FICHU MASQUE ?

C'EST POUR ÉVITER QUE LES TUEURS DE LA SECTE TE RECONNAISSENT, PARDI.

DEPUIS, ON ERRE ICI ET LÀ POUR GAGNER DE QUOI VIVRE ET S'ACHETER DES LOPINS EN ESPÉRANT REGAGNER LA FERME DE TA MÈRE OÙ TU SERAS ENFIN EN SÉCURITÉ.

HMPH !

LA SEULE CHOSE QUE JE PEUX AJOUTER, C'EST QUE TU M'AS CHOISI COMME ÉLÈVE PARCE QUE J'ÉTAIS LE MEILLEUR... ET ÇA, TU NE DOIS PAS L'OUBLIER.

7

PAS ELLE ! PAS ELLE ! PAS MA CHOSE À MOI !!

VOUS L'AVEZ TUÉE ! COMMENT JE VAIS FAIRE MAINTENANT ? QUI VA S'OCCUPER DE MOI ?

TU VAS PAS NOUS FAIRE CROIRE QUE CETTE FURIE ÉTAIT TA FEMME ? UN VIEUX DÉBRIS COMME TOI !

?

SI, SI, ELLE FAISAIT TOUT CE QUE JE VOULAIS ! TOUT !

TOUT ? VRAIMENT TOUT ?

BOUGRE DE CRÉTIN ! SI T'AVAIS MON POUVOIR, TU FERAIS LA MÊME CHOSE !

QUEL POUVOIR, GRAND-PÈRE ?

CELLE-LÀ, ELLE ÉTAIT COMPLÈTEMENT À MES ORDRES. COMMENT JE VAIS FAIRE POUR EN TROUVER UNE AUTRE COMME ÇA ?

QU'EST-CE QU'ELLE AVAIT DE PARTICULIER ?

ELLE, RIEN, C'ÉTAIT QU'UNE PAUVRE IDIOTE ! C'ÉTAIT MOI, AVEC MON POUVOIR, JE L'AI DÉJÀ DIT !

OH, TOI, TU NOUS INTÉRESSES AVEC TON POUVOIR. TU VAS VENIR AVEC NOUS.

NON ! NON, LÂCHEZ-MOI !!

LA MARCHE DES ROCHES POURPRES...

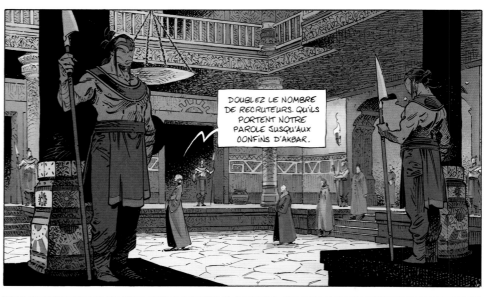

DOUBLEZ LE NOMBRE DE RECRUTEURS. QU'ILS PORTENT NOTRE PAROLE JUSQU'AUX CONFINS D'AKBAR.

IL EST TEMPS D'AVANCER À VISAGE DÉCOUVERT, MES FRÈRES. JE VEUX QUE CETTE MARCHE DEVIENNE CELLE DE L'ORDRE DU SIGNE.

ET CEUX QUI S'OPPOSERONT À NOTRE CAUSE DEVRONT EN PAYER LE PRIX COMME VIENNENT DE LE FAIRE CES LÂCHES...

...LES DIGNITAIRES DE NOTRE HAUT CONSEIL !

D'AUTRE PART, IL NE FAUT PAS QUE LE PRINCE HUMOUN ET SON HÉRITIÈRE MARA DÉCHIFFRENT LE GRIMOIRE AVANT LA SAISON CHANGEANTE.

MAINTENANT QUE LE CHEVALIER BRAGON N'EST PLUS LÀ POUR LES DÉFENDRE, LES ÉLIMINER NE DEVRAIT PLUS CAUSER DE PROBLÈME.

DES QUESTIONS ?

12

ET LA CONQUE QUE DÉTIENT LE PRINCE SHANTUNG ?

POUR L'INSTANT, AUCUNE IMPORTANCE.

LE DIEU RAMOR Y EST TOUJOURS RETENU PRISONNIER, VOYONS, ET, SANS LA TRADUCTION DU GRIMOIRE, L'ENCHANTEMENT QUI S'OPPOSE À SA DÉLIVRANCE NE POURRA PAS ÊTRE EFFECTUÉ !

BIEN SÛR, MAIS LES TEXTES DISENT QUE...

UNE FOIS RAMOR LIBRE, IL RÈGNERA SUR AKBAR ! RIEN D'AUTRE NE COMPTE !

ASSEZ !

JE VOUS RAPPELLE QUE NOTRE TÂCHE EST DE PRÉPARER SA VENUE... DE L'ANTICIPER PAR UN ACTE FORT.

AUSSI, QUAND LES PRINCES-SORCIERS APPRENDRONT QUE LA MARCHE DES ROCHES POURPRES EST TOMBÉE ENTRE NOS MAINS, ILS VONT IMMANQUABLEMENT SE RÉUNIR CHEZ HUMOUN, LEUR DOYEN.

QUAND ILS SERONT TOUS ÉLIMINÉS, IL N'Y AURA PLUS AUCUN OBSTACLE À NOTRE HÉGÉMONIE.

LE PAYS DES SEPT MARCHES PUIS TOUT AKBAR SERONT À NOS PIEDS !

13

THÂ, LA CITÉ DES PALFANGEUX...

PRINCE, MON AVIS EST QUE FORTIFIER LES MURAILLES DE THÂ N'EMPÊCHERA PAS LES IDÉES NAUSÉABONDES DE CETTE SECTE DE S'INFILTRER PARMI LES NÔTRES...

ET JUSTEMENT, UNE QUESTION ME TARAUDE...

PARLEZ.

A PRIORI, À PART NOUS, PERSONNE NE DEVAIT SAVOIR QUE BRAGON ESCORTAIT RAYA JUSQU'À SA MARCHE.

QUE VOULEZ-VOUS DIRE, GALHOUM ?

CONNAISSANT BRAGON, JE M'ÉTONNE QU'IL SE SOIT LAISSÉ ENTRAÎNER DANS UN GUET-APENS. SELON LES DIRES DE FRANGE, LES TUEURS SEMBLAIENT BIEN RENSEIGNÉS.

VOUS PENSEZ À UNE TRAHISON ?

?

FRANGE ?... NON NON, CE N'EST PAS POSSIBLE !... JE LE CONNAIS DEPUIS DES LUSTRES, IL A TOUJOURS ASSURÉ MA PROTECTION, IL A TOUTE MA CONFIANCE.

VOUS AVEZ SANS DOUTE RAISON, PRINCE.

N'EN PARLONS PLUS.

16

JE TENAIS AUSSI À VOUS DIRE QUE MES INFORMATEURS ONT CONFIRMÉ CE QUE NOUS CRAIGNIONS. LA DOUAIRIÈRE DE LA MARCHE DES ROCHES POURPRES SE SERAIT RALLIÉE À LA CAUSE DE L'ORDRE DU SIGNE.

TOUT SE TIENT, HÉLAS. QUE CONSEILLEZ-VOUS, NOBLE GALHOUM ?

LE PLUS SAGE SERAIT QUE VOUS CONVOQUIEZ L'ASSEMBLÉE DES PRINCES-SORCIERS DANS LES PLUS BREFS DÉLAIS AFIN DE METTRE UN TERME À CETTE MENACE.

JE VAIS RETROUVER MA FILLE, NOUS ALLONS AVOIR BESOIN D'ELLE.

COMMENT VA-T-ELLE, PRINCE HUMOUN ?

HÉLAS, LA PAUVRE ENFANT RESTE ENFERMÉE DANS SA DOULEUR.

EN PLUS, CERTAINS DE NOS VOISINS AU-DELÀ DU PAYS DES SEPT MARCHES SONT LA CIBLE DE MERCENAIRES À LA SOLDE DE L'ORDRE DU SIGNE, ET CEUX QUI REFUSENT LEUR ENDOCTRINEMENT SONT...

QU'EN PENSES-TU, MARA ?

TU... M'ÉCOUTES, MARA ?

IL VA FALLOIR QUE TU TE RESSAISISSES, MARA... QUE TU FASSES LE DEUIL DE BRAQON...

JE PARTAGE TA PEINE... MOI AUSSI, QUAND TA MÈRE NOUS A QUITTÉS, JE N'ÉTAIS PLUS LE MÊME.

NE M'ABANDONNE PAS...

16

VIENS, TA PLACE EST AVEC NOUS.

ATTENDS.

TU AS RAISON, PÈRE.

ALLONS TRAVAILLER.

MAIS MARA AVAIT OUBLIÉ QUE RIEN N'EST PLUS VIVANT QU'UN SOUVENIR.

17

* VOIR ÉPISODE " LE GRIMORE DES DIEUX ".

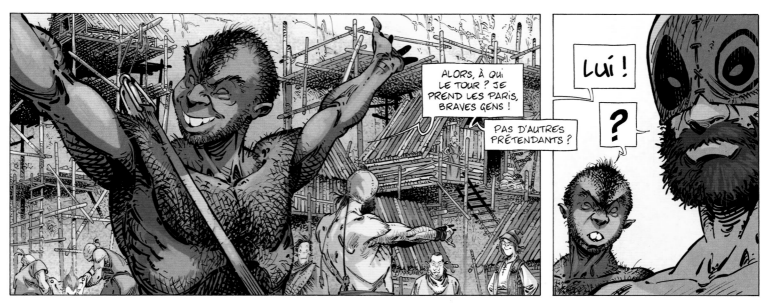

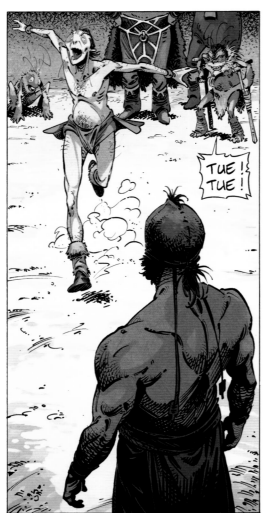

TUE !
TUE !

SPO !

ON N'IRA PAS LOIN AVEC UN SEUL LOPVENT.

TUE !
TUE !

AAH !

BAF !

INCROYABLE ! C'EST LE VIEUX QUI COMMANDE CE TARÉ !

IL A UN FACRÉ POUVOIR, HEIN, FHECH ?

ON VA FAIRE FORTUNE AVEC TOI, PAS VRAI ?

20

NE RÊVEZ PAS TROP, LES GARS.

T'ES QUI, TOI ?

?

TON SUPÉRIEUR.

DERNIÈRE VICTOIRE POUR LE LUTTEUR MASQUÉ. C'EST TERMINÉ POUR AUJOURD'HUI. RENTREZ CHEZ VOUS.

SUIVEZ-MOI. J'AI À VOUS PARLER.

L'ANIMAL ! IL M'A BIEN MORDU !

TSS ! ATTENDEZ ! JE VOUDRAIS VÉRIFIER QUELQUE CHOSE.

ALORS, C'EST QUOI, TA PROPOSITION ?

ALORS ?

ENCORE UNE BELLE RECETTE, CHAMPION. DANS UN JOUR OU DEUX, ON SERA CHEZ TOI, DANS TA FERME, EN TRAIN DE SE FAIRE DORLOTER PAR TA MÈRE.

TU RESTES ICI, JE VAIS NÉGOCIER UN LOPVENT.

N'OUBLIE PAS DE ME RENDRE MON MASQUE ET DE REMETTRE TON CHAPEAU.

ET TOI, BULROG, RENDS-MOI MA HACHE.

C'EST PAS UNE HACHE, BRAGON, C'EST LA FAUCHEUSE.

BRAGON !?

21

BON, ALORS QU'EST-CE QU'ON ATTEND ?

PAS LE TEMPS DE VOUS EXPLIQUER ! TOI, TU VIENS AVEC MOI !

PAS SI VITE ! LE VIEUX EST À NOUS !

SI C'EST CE QUE JE PENSE, TOUT LE MONDE AURA À Y GAGNER. NOTRE GRANDE PRÊTRESSE SAURA VOUS RÉCOMPENSER.

LA GRANDE PRÊTRESSE ?! ALORS, LÀ !

EH, MAIS TOI, JE TE CONNAIS ?!

TU SERAIS PAS LE FAMEUX BRAGON ?... C'EST INOUÏ !!

IL PARAÎT QUE TU ÉTAIS MORT !

ET TOI, TU ES QUI ?

TU AS PERDU LA MÉMOIRE ?

TU NE ME RECONNAIS PAS ?

ALORS QU'EST-CE QUE TU EN PENSES ?

22

? — JE NE SAIS PAS CE QUE VOUS ME VOULEZ TOUS LES DEUX MAIS JE VOUS CONSEILLE DE... DE...

HM-MM... JE TE SENS PERDU, ÉTRANGER...

IL Y A DU VIDE DANS TA TÊTE... UN PEU DE PLACE POUR MOI...

MAINTENANT LÈVE-TOI.

LÈVE-TOI, J'TE DIS !

PAR LES LUNES D'AKBAR !? INCROYABLE !!... IL EST SOUS TON CONTRÔLE !

OUI. DÉSORMAIS ON PEUT EN FAIRE CE QUE TU VEUX...

UN FAUVE OU UN MOUTON... INTÉRESSANT.

VOYONS ÇA.

C'EST BIEN LUI, BRAGON...

HA-HA ! UN MOUTON.

23

25

VIENS PAR ICI, TOI

SACRÉ BRAGON, TU NOUS EN AS DONNÉ, DU FIL À RETORDRE ET TE VOILÀ, HA HA !

LE CHEVALIER BRAGON, HA HA !

JE CROIS QU'IL Y EN A QUI VONT ÊTRE CONTENTS DE TE REVOIR.

?

QU'EST-CE QUE TU FAIS, BRAGON ? FAUT PAS RESTER LÀ, J'AI LE LOPVENT ! MONTE !

PERDS PAS TON TEMPS, GAMIN, IL NE VIENDRA PAS.

IL EST SOUS LE CONTRÔLE DE MON NOUVEL AMI...

OUI COMPLÈTEMENT, HI-HI !

J'ARRIVE, BRAGON !

CHOPEZ-MOI LE GAMIN ! LA RÉCOMPENSE SERA ENCORE PLUS GRANDE !

!!!?

OUAIS ON FA ÊTRE RIIFCHE !!

À NOUS LA RÉCOMPENSE !!

24

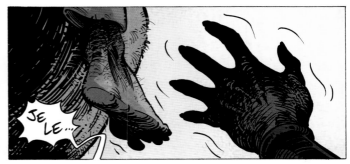

ON... ON L'A RATÉ DE PEU.

C'EST PAS TROP GRAVE, MES FRÈRES. APRÈS TOUT, CE BULROG N'A AUCUNE IMPORTANCE.

L'IMPORTANT, C'EST LUI !

C'EST FICHU. JE NE PEUX PLUS RIEN POUR BRAQON.

EUH... PEUT-ÊTRE QUE LA GRANDE PRÊTRESSE LUI ACCORDERA UN PETIT DÉDOMMAGEMENT, HEIN ?

...OHOO... LES COBAINS... V'AI MAL PALTOUT...

VOUS INQUIÉTEZ PAS, MES FRÈRES, AVEC CE QU'ELLE VOUS DONNERA, VOUS AUREZ DE QUOI FÊTER ÇA DIGNEMENT...

ALLONS AU PALAIS.

J'AI PAS ÉTÉ À LA HAUTEUR... JE SUIS PAS DIGNE D'ÊTRE SON ÉLÈVE...

NON, JE NE PEUX PAS LE LAISSER COMME ÇA...

IL EST MON MAÎTRE. IL A BESOIN DE MOI !

JE VAIS CHERCHER DE L'AIDE.

26

LA GRANDE PRÊTRESSE A ÉTÉ GÉNÉREUSE AVEC NOUS, LONGUE VIE À L'ORDRE DU SIGNE !

BRAGON ?! VIVANT ?... MAIS FRANGE AVAIT PRÉTENDU QU'IL ÉTAIT MORT !

POURTANT C'EST BIEN LUI, VOTRE ALTESSE, ET JE PEUX VOUS ASSURER QUE, DANS L'ÉTAT OÙ IL EST, CETTE LÉGENDE EST LA MEILLEURE RECRUE QUE VOUS PUISSIEZ AVOIR.

IMAGINEZ LA RÉACTION DE VOS ENNEMIS LORSQU'ILS APPRENDRONT QUE LE CHEVALIER BRAGON LUI-MÊME A REJOINT L'ORDRE DU SIGNE.

QUE VOULEZ-VOUS DIRE, MON CHER KHANIF ?

TOI, LE VIEUX, DIS À LA PRINCESSE CE QUE TU PEUX EN FAIRE.

BEN, J'L'AI DÉJÀ DIT. BEAUCOUP DE CHOSES... UNE BÊTE FÉROCE... OU UN MOUTON, C'EST SELON...

VOUS VOULEZ VOIR ?

SI C'EST À VOS GARDES QUE VOUS PENSEZ, ÇA NE PROUVERA PAS GRAND-CHOSE. JE L'AI VU COMBATTRE ET CE N'EST PAS EUX QUI L'ARRÊTERONT.

27

JE VOUS RAPPELLE QU'IL A ÉTÉ L'ÉLÈVE DU RIGE ET QU'IL A LE SENS DU DEVOIR... DU SACRIFICE... DE L'HONNEUR ET...

DE L'HONNEUR, DITES-VOUS ?

EH BIEN, NOUS ALLONS VOIR CE QU'IL EN EST.

TOI, APPROCHE.

TU LA VOIS, ELLE ?

TUE !... TUE-LA !

UNE BÊTE FÉROCE, TU AS DIS ?

HEU... VOUS ÊTES SÛRE, VOTRE ALTESSE ?

NE ME FAIS PAS ATTENDRE. OBÉIS.

AU CŒUR DES HAUTS PLATEAUX DU MÉDIR, LE DOMAINE FAMILIAL DE BRAGON...

UN VISITEUR ! NOUS AVONS UN VISITEUR !

?

C'EST BULROQ ! LISTELLE, VA AVERTIR MORANGE !

BULROG ?

HOO... TOUT DOUX...

MAIS ON TE CROYAIT MORT, TO... ET BRAGON ?

NON, LUI AUSSI EST VIVANT MAIS IL EST TOMBÉ DANS LES GRIFFES DE L'ORDRE DU SIGNE !

ATTENDS. TU VAS NOUS RACONTER TOUT ÇA, MAIS D'ABORD IL FAUT ANNONCER LA BONNE NOUVELLE À SA MÈRE.

30

MON FILS EST VIVANT, LISTELLE ! IL A PEUT-ÊTRE PERDU LA MÉMOIRE MAIS IL EST VIVANT !

VOUS AVEZ RAISON, NOTRE BRAGON EST VIVANT, C'EST TOUT CE QUI COMPTE.

TOUTE CETTE HISTOIRE M'INQUIÈTE, BULROQ.

?

BRAGON, EMBARQUÉ DANS CETTE MAUDITE SECTE NE PRÉSAGE RIEN DE BON. QUANT À CE VIEUX DONT TU PARLAIS, J'AI DÉJÀ ENTENDU MON PÈRE ÉVOQUER LE POUVOIR DE CE GENRE D'INDIVIDUS.

ILS SAVENT PROFITER DE LA FAIBLESSE DE CERTAINS POUR MIEUX LES MANIPULER ET, DANS L'ÉTAT OÙ EST BRAGON, C'EST UNE AUBAINE POUR L'ORDRE DU SIGNE.

VOUS PENSEZ À QUOI, MORANGE ?

IL EST À CRAINDRE QU'ILS L'UTILISENT CONTRE LEURS OPPOSANTS... LE PRINCE HUMOUN D'ABORD ET SA FILLE MARA...

CE N'EST QU'UN PRESSENTIMENT MAIS, DANS LE DOUTE, JE PRÉFÈRE AVERTIR HUMOUN ET NOUS ANNONCERONS À MARA QUE BRAGON EST VIVANT.

CE TRAÎTRE DE FRANGE ?... RASSURE-TOI, JE CONNAIS THÂ COMME MA POCHE. NOUS ALERTERONS LE PRINCE SANS NOUS FAIRE REMARQUER.

AVERTIR MAIS... SI LE MAÎTRE D'ARMES ME VOIT... IL VA...

SI BRAGON DOIT SE RENDRE À LA CITÉ DE LA MARCHE DES VOILES D'ÉCUME, JE VEUX Y ÊTRE.

?! C'EST IMPOSSIBLE... TROP DANGEREUX.

JE NE PEUX VOUS EXPOSER À TOUT ÇA.

MORANGE, VOUS NE POUVEZ PAS ME LE REFUSER.

...

C'EST VRAI.

ALORS NOUS PARTIRONS DEMAIN À L'AUBE.

TRÈS LOIN DE LÀ, À MI-CHEMIN DE THÂ...

LES LOPVENTS ONT BESOIN DE SE REPOSER.

ET NOUS AUSSI !

TU LE MAINTIENS BIEN SOUS TON EMPRISE ?

NE T'INQUIÈTE PAS.

AVEC CE QUE M'A PROMIS LA PRÊTRESSE, JE REMPLIRAI MA MISSION JUSQU'AU BOUT.

TU PEUX DORMIR TRANQUILLE.

BON, DANS DEUX JOURS, ON SERA À THÂ. ALORS, LE VIEUX, SE COMPTE SUR TOI.

RASSURE-TOI, KHANIF. LUI AUSSI VA DORMIR. JE LE TIENDRAI SOUS MON CONTRÔLE.

RONFL RONFL RONFL

OUF... FAUT PAS QUE JE DORME !...

...RESTER... ÉVEILLÉ...

RONFL RONFL

M...MAIS QU'EST-CE QUE JE FAIS ICI ?...

?

OÙ EST BULROG ?

EH, TOI ! RÉVEILLE-TOI !

?

JE T'AI DÉJÀ VU !... MILLE FURIES ! QU'EST-CE QUE TU AS FAIT DE BULROG ?

M...MAIS... TU... JE...

RÉPONDS !

HÉ... LE VIEUX, RÉVEILLE-TOI !!

QU'EST-CE QUE VOUS M'AVEZ FAIT ?

?

CAL ME... CAL ME... TOUT DOUX...

C'EST BON. JE L'AI RÉCUPÉRÉ.

RH... RH...

ENCORE UN COUP COMME ÇA, LE VIEUX, ET JE TE TUE !

LE LENDEMAIN, APRÈS UNE LONGUE JOURNÉE DE VOYAGE DEPUIS LES HAUTS PLATEAUX DU MÉDIR JUSQU'À LA MARCHE DES VOILES D'ÉCUME...

DIRIGEONS-NOUS DE CE CÔTÉ-LÀ. NOTRE ARRIVÉE SERA PLUS DISCRÈTE.

ENFILONS NOS CAPUCHES, C'EST PLUS PRUDENT.

34

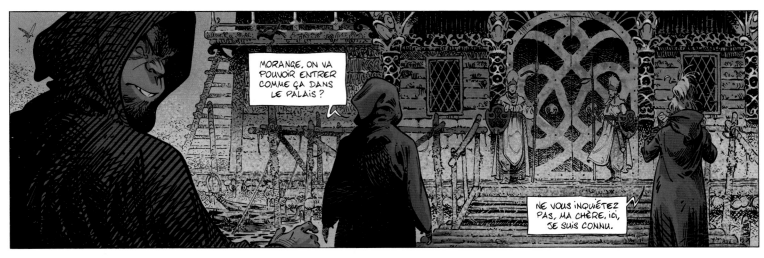

MORANGE, ON VA POUVOIR ENTRER COMME ÇA DANS LE PALAIS ?

NE VOUS INQUIÉTEZ PAS, MA CHÈRE, ICI, JE SUIS CONNU.

VOUS VOYEZ, C'EST TRÈS SIMPLE.

ATTENDEZ-MOI ICI, JE VAIS ALLER VOIR LE PRINCE HUMOUN... SEUL.

MORANGE ? QUE FAITES-VOUS ICI, MON CHER COUSIN ?

C'EST TOUTE UNE HISTOIRE, PRINCE.

PAR LES DIEUX ! NOUS DEVONS PRENDRE DES DISPOSITIONS AU PLUS VITE, MORANGE !

MAIS D'ABORD, PRÉVENIR MARA !

35

BRAGON!... VIVANT ?!

M...MAIS...

OUI... PRINCESSE, MON FILS EST VIVANT !

V...VOUS ÊTES SA MÈRE ?

MON ENFANT, JE SUIS SI HEUREUSE...

MÒ AUSSI, JE... JE...

LES MOTS ÉTAIENT INUTILES POUR MARA ET LA MÈRE DE BRAGON...

... PAR CONTRE, BULROG ÉTAIT INTARISSABLE.

36

...OUI MAIS DEPUIS IL EST SOUS L'EMPRISE D'UN VIEUX PERVERS ET ÇA, J'AI PAS PU L'EMPÊCHER !

? DE QUOI PARLES-TU, BULROQ ?

EN TOMBANT, LE CHOC A FAIT PERDRE LA MÉMOIRE À BRAGON.

MORANGE, JE CROIS QUE VOTRE PRESSENTIMENT EST JUSTE. L'ORDRE DU SIGNE VA TENTER D'UTILISER BRAGON AFIN DE NOUS NUIRE.

AVEC LA RÉPUTATION QUE NOTRE CHEVALIER A DÉSORMAIS DANS AKBAR, IL EST CERTAIN QUE SA PRÉSENCE AU SEIN DE CETTE MAUDITE SECTE RISQUE DE CONVERTIR LES INDÉCIS ET D'EXALTER LES FANATIQUES.

...ET DURANT TOUT CE TEMPS, C'EST MOI QUI ME SUIS OCCUPÉ DE LUI.

MAINTENANT, IL VA FALLOIR REDOUBLER DE PRUDENCE.

PRINCE ?

DEMAIN, NOUS RÉGLERONS SON CAS.

JE SUIS TELLEMENT DÉÇU... FRANGE, UN TRAÎTRE... GALHOUM M'AVAIT MIS EN GARDE...

JAMAIS JE N'AURAIS CRU ÇA DE LUI.

37

LA SALLE DE COURS DE FRANCE.

QU'EST-CE QUE JE T'AI APPRIS ? NON, PAS COMME ÇA, SINON...

...TU ES MORT !

*Ouch*

J'AI ENCORE DU MAL À CROIRE QUE VOUS AYEZ TRAHI MA CONFIANCE, MAÎTRE FRANCE...

...MAIS VOUS NE ME LAISSEZ PAS LE CHOIX.

PRINCE ?

JE NE COMPRENDS PAS ! QUE ME REPROCHEZ-VOUS ? JE VOUS AI TOUJOURS SERVI LOYALEMENT.

MENTEUR !

BULROG ?!

C'EST PEUT-ÊTRE MIEUX AINSI. JE SUPPOSE QUE BRAGON, LUI AUSSI, EST TOUJOURS VIVANT.

J'EN AVAIS LE PRESSENTIMENT QUAND MES ACOLYTES N'ONT PAS RETROUVÉ VOS CORPS *.

38

* VOIR ÉPISODE PRÉCÉDENT.

40

POURQUOI NE M'AVEZ-VOUS PAS TUÉ, MOI... OU MARA ? VOUS EN AVIEZ LA POSSIBILITÉ.

C'ÉTAIT PRÉVU. POURTANT, CROYEZ-LE OU NON, PRINCE, C'EST LA SEULE CHOSE QU'IL M'AURAIT ÉTÉ IMPOSSIBLE DE FAIRE.

JE SAIS QUE L'ORDRE DU SIGNE ME L'AURAIT REPROCHÉ ET QU'IL AURAIT TROUVÉ UN MOYEN DE ME LE FAIRE PAYER.

VOUS VOYEZ, DANS LES DEUX CAS, JE ME SUIS CONDAMNÉ.

?! ARRÊTEZ-LE !

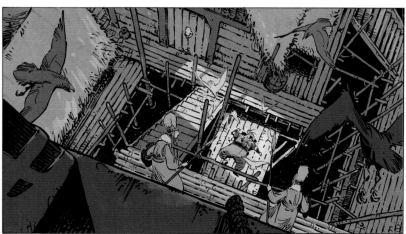

39

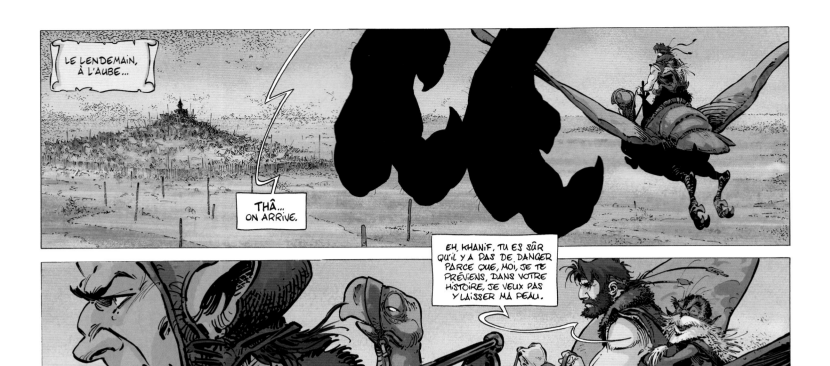

LE LENDEMAIN, À L'AUBE...

THÂ... ON ARRIVE.

EH, KHANIF, TU ES SÛR QU'IL Y A PAS DE DANGER PARCE QUE, MOI, JE TE PRÉVIENS, DANS VOTRE HISTOIRE, JE VEUX PAS Y LAISSER MA PEAU.

TINQUIÈTE, AVEC TON NOUVEL AMI, ON RISQUE RIEN.

QUAND JE TE DIRAI "FAIS-LE": TU L'ENVOIES TUER LE PRINCE ET SA FILLE.

ET PUIS, TU SERAS PAS SEUL. JE SUIS LÀ.

DEPUIS LA DÉCOUVERTE DE LA TRAHISON DE FRANGE, LA CITÉ DES PALFANGEUX AVAIT ÉTÉ MISE SUR LE PIED DE GUERRE...

LÀ-BAS ! ENCORE DES VOYAGEURS !

...ET DES CONSIGNES TRÈS STRICTES AVAIENT ÉTÉ DONNÉES AU CAS OÙ BRAGON SE MANIFESTERAIT.

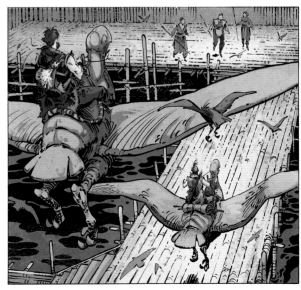

BRAGON !

C'EST LUI !?

VA VITE PRÉVENIR LE PRINCE.

40

M-M-MAIS C'EST BRAGON ?! LE CHEVALIER BRAGON !

OUI ET C'EST POUR ÇA QUE NOUS DEMANDONS AUDIENCE. JE PENSE QUE LE PRINCE SERA SOULAGÉ DE RETROUVER SON AMI.

LE PRINCE MAIS AUSSI SA FILLE. ICI, TOUT LE MONDE LE CROYAIT MORT.

NON, POURTANT IL SEMBLERAIT QU'IL AIT PERDU LA MÉMOIRE. JE L'AI RECONNU ALORS QU'IL FAISAIT LE GARÇON DE FERME.

J'ESPÈRE QUE LE PRINCE SE MONTRERA... GÉNÉREUX.

SUIVEZ-MOI.

C'EST MOI QUI L'AI TROUVÉ !.... ET JE M'EN SUIS BIEN OCCUPÉ... BIEN NOURRI... ET MAINTENANT... AVEC MES PAUVRES JAMBES, C'EST LUI QUI M'AIDE !

LAISSEZ-LES PASSER. C'EST IMPORTANT.

MAINTENANT QU'ILS SONT ENTRÉS, BLOQUEZ TOUTES LES ISSUES.

41

BRAGON, MON FILS !... TU ES LÀ, BIEN VIVANT !... TOUT LE MONDE PENSAIT QUE... OH, COMME JE SUIS HEUREUSE, MON PETIT !

C'EST BIEN NATUREL, PRINCE. NOUS PENSIONS QUE SA PLACE ÉTAIT PARMI VOUS.

VOYAGEURS, C'EST INCROYABLE ! NOUS VOUS SOMMES INFINIMENT RECONNAISSANTS.

BRAGON...

TU M'AS TELLEMENT MANQUÉ, SI TU SAVAIS... JE T'AI ENFIN RETROUVÉ.

?

NON, MARA, PAS MAINTENANT.

NON NON ! C'EST MOI QUI L'AI RETROUVÉ !... MOI ! MOI !

QUE LES DIEUX BONS VOUS BÉNISSENT ! JE NE VOUS REMERCIERAI JAMAIS ASSEZ DE CE QUE VOUS AVEZ FAIT POUR MON FILS.

OUI OUI ET ÇA MÉRITE UNE RÉCOMPENSE !

L'IMBÉCILE ! IL VA FINIR PAR PERDRE LE CONTRÔLE DE BRAGON.

MON GRAND, JE SAIS CE QU'IL T'EST ARRIVÉ. TON AMI BULROG NOUS A DIT QUE TU AVAIS PERDU LA MÉMOIRE, MAIS JE VAIS M'OCCUPER DE TOI COMME AVANT.

M... MA.. M. MAMAN...

42

43

44

46

UN GESTE...

...ET JE LA TUE !

NON ! NE FAITES RIEN !

...HHGHH... B...BRAGON... BRAGON... J...JE...

DÉGAGEZ ! LAISSEZ-MOI PARTIR !!

BR... BRAGON...

GNH...

BRAG...

BRAGON...

MON FILS... BRAGON... L... LÂCHEZ-MOI...

T..TU L'AS TUÉ...
TU AS TUÉ
MON PÈRE...

BRAGON, TU ME
RECONNAIS ?...C'EST
MOI, BULROG...

JE SAIS
COMMENT TU
T'APPELLES...

MAINTENANT,
LAISSE-MOI
M'OCCUPER
DE MA MÈRE...

RESTE OÙ
TU ES !

CROIS-MOI, BRAGON,
DEPUIS TES VICTOIRES
DANS L'ARÈNE DE
VAQUAMARE, JE N'AI
PAS CESSÉ DE
T'ADMIRER.

ENSEMBLE, NOUS
AURIONS PU FAIRE
DE GRANDES CHOSES
AU SERVICE DE
L'ORDRE DU SIGNE...

ON Y ÉTAIT
PRESQUE !
TOI, LA LÉGENDE,
ET MOI... TON
PARTENAIRE...

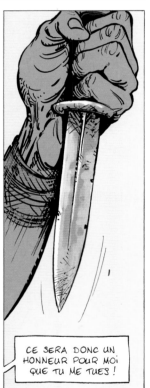

CE SERA DONC UN
HONNEUR POUR MOI
QUE TU ME TUES !

UH!

SCHLAF!

TOUT AKBAR AVAIT APPR'IS LA NOUVELLE DE LA MORT DU PRINCE-SORCIER HUMOUN.

LES PRINCES-SORCIERS DU PAYS DES SEPT MARCHES ÉTAIENT VENUS ASSISTER AUX FUNÉRAILLES PLACÉES SOUS HAUTE SURVEILLANCE.

LA MARCHE DES VOÎLES D'ÉCUME ÉTAIT EN DEUIL.

QU'ALLEZ-VOUS FAIRE MAINTENANT, MARA ?

CONTINUER LA TÂCHE DE MON PÈRE... DÉCHIFFRER LE GRIMOIRE...

ALLEZ-VOUS GARDER AUPRÈS DE VOUS CELUI QUI A TUÉ LE PRINCE HUMOUN ?... CE SOI-DISANT CHEVALIER...

...CE BRAGON...

NOUS AVONS TOUS SOUFFERT, BODIAS... CE BRAGON-LÀ N'ÉTAIT PAS CELUI QUE J'AI CONNU... IL N'ÉTAIT PAS LUI-MÊME...

IL N'EST PAS DE NOTRE SANG.

HM... JE N'AI JAMAIS AIMÉ CE ROTURIER...

LE PRINCE-SORCIER DE LA MARCHE DES MILLE VERTS NE SEMBLE PAS TE PORTER DANS SON COEUR.

VIENS. IL ME RESTE DES PRÉPARATIFS À FAIRE POUR SUIVRE LES DERNIÈRES VOLONTÉS DE MA MÈRE... LE PUITS DES ÂMES...

ET C'EST OÙ, CE PUITS DES ÂMES ?

LOIN... TRÈS LOIN.

50

LA DÉPOUILLE DE LA MÈRE DE BRAGON AVAIT ÉTÉ APPRÊTÉE POUR LE VOYAGE...

L'HEURE ÉTAIT AU DÉPART.

CE N'EST PAS DE TA FAUTE, BRAGON.

ET, TOI, COUSIN, QUE COMPTES-TU FAIRE ?

RETOURNER À LA FERME... ILS AURONT BESOIN DE MOI LÀ-BAS.

51

BRAGON ET BULROG AVAIENT QUITTÉ LA MARCHE DES VOILES D'ÉCUME SANS ESPOIR DE RETOUR.

LA TRADITION VOULAIT QUE LE VOYAGE JUSQU'AU PUITS DES ÂMES SE FASSE PAR VOIE TERRESTRE.

ILS AVAIENT TRAVERSÉ LA PLAINE DES SENTEURS.

BRAGON RESTAIT PLONGÉ DANS SES PENSÉES.

BULROG AVAIT COMPRIS QU'IL FALLAIT RESPECTER SON SILENCE.

L'ÉLÈVE AVAIT RETROUVÉ SON MAÎTRE...

...MAIS À QUEL PRIX?

CHAQUE JOUR APPORTAIT SON LOT DE PÉRIPÉTIES...

...ET D'ÉMOTIONS.

LA STEPPE
DES PALANTINS.

53

ENFIN, APRÈS D'INTERMINABLES JOURNÉES DE MARCHE, LE PUITS DES ÂMES.

LA DERNIÈRE ÉTAPE.

54

DEPUIS DES GÉNÉRATIONS, LE RITUEL ÉTAIT LE MÊME POUR LES MORTS...

CHAQUE PAS ÉTAIT COMPTÉ.

VIENS, PÈRE, IL FAUT RENTRER...

MAMIE REPOSE EN PAIX MAINTENANT.

...COMME POUR LES VIVANTS.

CHAQUE PIERRE AVAIT SA DESTINÉE.

QUI VEUT SE FAIRE TATOUER ?

!

?

ENCORE EUX ! TU VEUX QUE JE M'EN OCCUPE ?

NON, PAS MAINTENANT.

REJOIGNEZ L'ORDRE DU SIGNE !

REJOIGNEZ-NOUS !

APPROCHEZ. N'AYEZ PLUS PEUR.

L'ORDRE DU SIGNE VOUS OFFRE LE RÉCONFORT ET LA JUSTICE !

TIENS, VA M'ACHETER UNE PIERRE.

ET TU PRENDS LA PLUS BELLE.

MOI, JE ME CHARGE DE LA BARQUE.

NOTRE DIEU, LE TOUT-PUISSANT RAMOR, VA BIENTÔT REVENIR RÉGNER SUR AKBAR !...

PRÉPAREZ-VOUS À L'ACCUEILLIR ! FAITES-VOUS TATOUER !

IL N'Y A DONC PERSONNE POUR LE FAIRE TAIRE ?

LA VIE EST UN LABYRINTHE, MON GARÇON, BEAUCOUP DE VOIES, UNE SEULE ISSUE.

MERCI DU CONSEIL, ET SI CES LASCARS VOUS FERMENT VOTRE ISSUE, VOUS FAITES COMMENT POUR SORTIR DU LABYRINTHE ?

QUI TE DIT QUE JE VEUX EN SORTIR ?

BULROG, TU AS LA PIERRE ? VIENS M'AIDER.

56

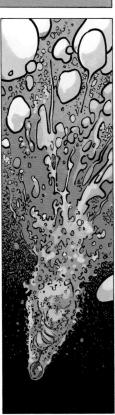

57

ILS SONT TOUJOURS LÀ ?

58

60

VA CHERCHER
TROIS PIERRES.
LES MOINS
CHÈRES.

ET DES
CORDES ?

ET DES
CORDES.

OUI, MÊME CES PLEUTRES
DE PRINCES-SORCIERS NOUS
CRAIGNENT. ILS SE TERRENT
DANS LEURS MARCHES !

DÉCIDEZ-VOUS !!
QUI SERA LE PROCHAIN
POUR SE FAIRE
TATOUER ? QUI PROUVERA
SON ALLÉGEANCE À
L'ORDRE DU SIGNE ?

MOI, J'SUIS
VOLONTAIRE !

AH-AH,
TRÈS BIEN,
L'AMI. NOUS
AVONS BESOIN
DE SOLIDES
GAILLARDS
COMME TOI.

ENTRE.

TU ES LE DERNIER POUR
AUJOURD'HUI. MON FRÈRE
VA VITE S'OCCUPER DE TOI.

OUVRE TA
TUNIQUE.

AU FAIT,
COMMENT TU
T'APPELLES ?

BRAGON.

LE
CHEVALIER
BRAGON.

59

## SERGE LE TENDRE

### CHEZ DARGAUD
*La Quête de l'Oiseau du Temps* – dessin et coscénario de Loisel (4 tomes)
*Avant la Quête* – coscénario avec Loisel, dessin de Lidwine, Aouamri, Mallié et Etien (5 tomes)
*Tirésias - La Gloire d'Héra* – dessin de Rossi (intégrale)

*Griffe Blanche* – dessin de TaDuc (3 tomes)
*Le Projet Bleiberg* – dessin de Peynet (2 tomes)
*Les Vestiges de l'aube* – dessin de Peynet (2 tomes)
*Pour l'Amour de l'art* – coscénario avec Rey, dessin de Danard (4 tomes)

### CHEZ D'AUTRES ÉDITEURS
*Chinaman* – dessin de TaDuc (9 tomes) – Dupuis
*JKJ Bloche* – coscénario avec Makyo, dessin de Dodier (2 tomes) – Dupuis
*L'Oiseau noir* – dessin de Déthorey – Dupuis
*La Dernière lune* – coscénario avec Rodolphe, dessin de Parras – Le Lombard
*Golias* – dessin de Lereculey (4 tomes) – Le Lombard
*Mister George* – coscénario avec Rodolphe, dessin de Labiano (2 tomes) – Le Lombard
*Terminus* – dessin de Ponzio (2 tomes) – Ankama
*L'Histoire de Siloë* – dessin de Servain (2 tomes) – Delcourt
*Les Voyages de Takuan* – dessin de Siméoni et TaDuc (5 tomes) – Delcourt
*Les Errances de Julius Antoine* – dessin de Rossi – Drugstore
*Edmond et Crustave* – dessin de Rossi – Gallimard
*Labyrinthes* – coscénario avec Diéter, dessin de Pendanx (4 tomes) – Glénat
*Mission Vietnam* – dessin de Kraehn et de Jusseaume – Glénat
*Le Livre des Destins* – dessin de Biancarelli (5 tomes et 1 intégrale) – Soleil
*Paroles d'Étoiles* – collectif – Soleil
*J'ai tué* – dessin de Sorel (1 tome) – Vents d'Ouest
*Le Cycle de Taï-Dor* – coscénario avec Rodolphe, dessin de Serrano et Foccroulle (8 tomes) – Vents d'Ouest
*Le Paradis sur Terre* – dessin de Gnoni (2 tomes) – 12bis

## RÉGIS LOISEL

### CHEZ DARGAUD
*La Quête de l'Oiseau du Temps* – coscénario de Le Tendre (4 tomes)
*Avant la Quête* – coscénario avec Loisel, dessin de Lidwine, Aouamri, Mallié et Etien (5 tomes)

### CHEZ D'AUTRES ÉDITEURS
*Magasin général* – coscénario et dessin de Tripp et Loisel (9 tomes) – Casterman
*L'Arrière-boutique du magasin général* – coscénario et dessin de Tripp et Loisel (3 tomes) – Casterman
*Mickey Mouse, Café Zombo* – Glénat
*Peter Pan* (6 tomes) – Vents d'Ouest
*Le Grand Mort* – coscénario de Djian et dessin de Mallié (6 tomes) – Vents d'Ouest

## DAVID ETIEN

### CHEZ DARGAUD
*Avant la Quête* – scénario de Le Tendre et Loisel (tome 5)

### CHEZ D'AUTRES ÉDITEURS
*Les Quatre de Baker Street* – scénario Djian et Legrand (7 tomes) – Vents d'Ouest